蒙台梭利
早教游戏训练①
0~5岁儿童感觉能力训练

［意］玛丽亚·蒙台梭利◎著
蒙台梭利丛书编委会 ◎编译

中国妇女出版社

图书在版编目（CIP）数据

蒙台梭利早教游戏训练.1，0～5岁儿童感觉能力训
练 / (意) 蒙台梭利著；蒙台梭利丛书编委会编译. ――
北京：中国妇女出版社，2016.2
ISBN 978-7-5127-1240-9

Ⅰ.①蒙⋯ Ⅱ.①蒙⋯ ②蒙⋯ Ⅲ.①能力培养—学
前教育—教学参考资料 Ⅳ.①G613

中国版本图书馆CIP数据核字(2015)第301026号

蒙台梭利早教游戏训练1 0～5岁儿童感觉能力训练

作　　者：〔意〕玛丽亚·蒙台梭利 著 蒙台梭利丛书编委会 编译
插图作者：眯宝儿卡通
选题策划：姜　喆
责任编辑：宋　文
封面设计：尚世视觉
责任印制：王卫东
出版发行：中国妇女出版社
地　　址：北京东城区史家胡同甲24号 邮政编码：100010
电　　话：(010) 65133160（发行部） 65133161（邮购）
网　　址：www.womenbooks.com.cn
经　　销：各地新华书店
印　　刷：北京通州皇家印刷厂
开　　本：185×210 1/24
印　　张：4
字　　数：100千字
版　　次：2016年2月第1版
印　　次：2017年4月第4次
书　　号：ISBN 978-7-5127-1240-9
定　　价：19.80元

　　玛丽亚·蒙台梭利（1870~1952），意大利第一位女医学博士，20 世纪享誉世界的杰出幼儿教育家。她在实验、观察和研究的基础上，创办了给世界教育进程带来深刻变革的蒙氏幼儿早期教育法，对欧美国家的教育和社会发展产生了深远的影响。

　　蒙台梭利认为，儿童都是渴望游戏的，因为游戏是他们认识世界的途径。如果儿童的全部精神力量都专注于功课，他们的生活就会变得枯燥乏味。儿童应该学习知识，但首先应该有着多方面的兴趣、要求和愿望。

　　儿童有一种与生俱来的"内在生命力"，而教育只是为了促进儿童"内在潜能"的发挥。因此，成人不能压制儿童的发展，更不能干涉他们的自由行动，而要因势利导，顺应儿童的天性，让其在游戏中成长。

　　为了让孩子更好地发挥潜能，我们策划出版了这套"蒙台梭利早教游戏训练"系列丛书。本套书中所有的游戏训练都源自蒙氏原著，结合当下儿童成长的环境和实际需要进行了适当的调整，可以说是为中国儿童量身打造的蒙氏早教游戏训练。另外，本套书基本不需要辅助额外的材料，就可以让父母与孩子轻松体验蒙氏教育的奇妙。

　　感觉能力训练是蒙氏教育的重要组成部分。《0~5 岁儿童感觉能力训练》

把蒙氏教育精髓融入快乐的训练，让儿童直接感受生动、有趣的早教游戏，激发出内在生命力。

另外，对于本书的使用，有如下几点提请父母注意：

● 本书将游戏的难度按照孩子的一般发育情况进行了标注，如 3 星代表 3 岁。但 0~5 岁的孩子个体差异较大，相同年龄段的孩子可能会有不同的表现。一般情况下，家长不用为孩子不能很好地完成某个训练而过分担心。

● 不要让孩子一个人完成这些训练，父母可结合每个训练下面的"蒙氏智语"以及自己孩子的发育情况进行指导和拓展。

● 本书的训练目的在于培养孩子的感觉能力，为孩子视觉能力、听觉能力、触觉能力、味觉能力和嗅觉能力的提升打下夯实的基础。推荐您参考其余 5 本相关图书（内容涉及语言、智力、性格、生活能力、数学），让它们互为补充，可以更有效地提高孩子的综合能力，促进孩子全面发展。

蒙台梭利丛书编委会
2015 年 12 月

目录

Part 1 用眼睛看看缤纷的世界

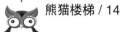

Part2 用耳朵听听美妙的声音

Part3 用身体感受有趣的世界

Part4 用鼻子和嘴巴感受不一样的味道

Part 1

用眼睛看看
缤纷的世界

小白兔与小黑兔

游戏方法：给宝宝看看黑兔子，再给宝宝看看白兔子。

蒙氏智语 婴儿不是机械地进行观察，他们观察到的事物会让他们产生某种心理反应，也会对他们的人格产生重要的影响。婴儿观察视线范围内的所有东西，获取经验，进行吸收和学习。

▲ 认一认, 拼一拼

游戏方法：三角形、正方形和圆形的小木块应该放在木框架的哪个位置呢？试着用线把它们连起来吧！

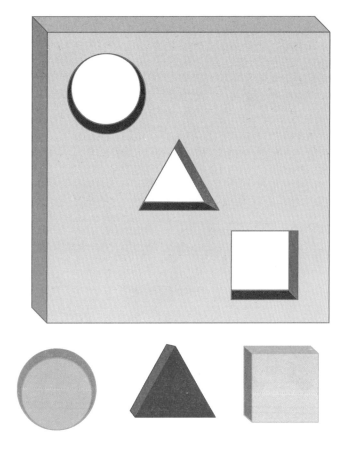

蒙氏智语 我使用几何图形木块来培养孩子们对维度和形状的敏感性，并赋予它们新的创意和使命。这种教具中有各种几何图形的木头模型，这些模型可以摆放到相应形状的框架里面。

蔬菜的颜色

难度 ★★★☆☆

游戏方法：把蔬菜的颜色与相应颜色的色卡用线连起来吧！

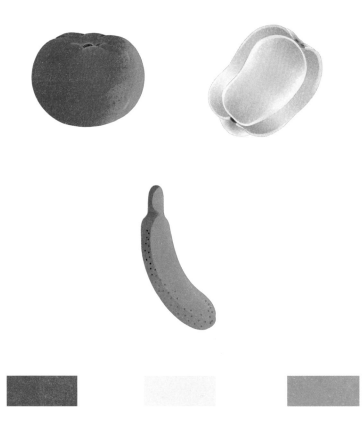

蒙氏智语 ▶ 认识颜色有 3 个阶段：第 1 阶段为将感觉和名称巧妙联系起来，即向孩子展示不同的颜色，告诉他们每种颜色的名字。第 2 阶段为认识某种颜色相对应的物品，即指出某种颜色，让孩子指认出这种颜色的物品。第 3 阶段为记忆相应物品的颜色，即给孩子看一件物品，并让孩子说出它的颜色。

不一样的小熊玩偶

游戏方法：下面 2 个小熊玩偶有什么不同呢？请把它们圈出来。

蒙氏智语 我们必须记住，对幼儿注意力的刺激，在感觉上要强而有力，它应该伴随着感官方面的生理适应性。幼儿的生理发育尚不完全，我们必须遵循自然的规律来发展这种适应性。

小动物回家 难度 ★★★★☆

游戏方法：6只小动物要回家了，你能根据它们的大小，帮它们找到属于自己的家吗？用线连连看吧！

在"儿童之家"有一套大小不同的圆柱体，与之相配的木板上有大小不同的孔，我们会将所有圆柱体打乱顺序，摆在桌上，然后让孩子将不同的圆柱体嵌入相对应的孔。我们使用这种教具来训练孩子对大小的感知力。

红蓝木棒大排序

难度 ★★★☆☆

游戏方法：在这套从小到大依次排列的红蓝木棒中，有两根木棒被不小心弄乱了顺序，你能找出是哪两根木棒的位置错了吗？把它们圈出来。

蒙氏智语 这组教具由 10 根木棒构成。第一根木棒长 1 米，最后一根长 10 厘米，每一根木棒的长度比前一根少 10 厘米。木棒上每 10 厘米用蓝色和红色做交替标记。我们把木棒的顺序打乱，让孩子根据木棒的长度进行排序，同时要对相应的颜色进行观察。

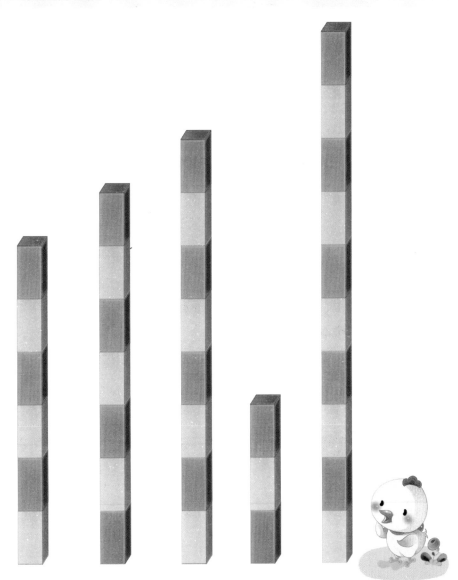

树枝上的**动物** 难度 ★★★☆☆

游戏方法：图中有不同颜色的点点，挑出黑色的点点，把它们连起来，看看会出现什么动物。接下来再给这个小动物涂上你喜欢的颜色吧！

蒙氏智语 行为跟视觉是相联系的，因为我们需要用眼睛去观察往哪里去。当我们的手进行工作的时候，我们也要用眼睛去看。

圆圆的水果

游戏方法：一家人去郊外野餐，妈妈说想吃圆圆的水果，你能在妈妈的餐盘中画两种圆圆的水果吗？

蒙氏智语 对于那些年龄很小的孩子来说，这种游戏很能够吸引他们的注意力。"儿童之家"的孩子们在这种练习中花费了许多精力，他们必须仔细观察，以此来识别出物体的形状。

搭建玫瑰塔

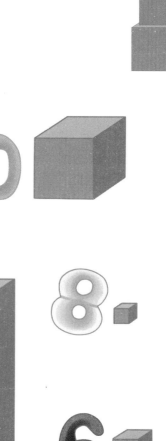

游戏方法：如果把下面10块玫瑰色的正方体木块按照由低到高越来越小的规律搭成玫瑰塔，它们应该如何排列呢？把正确的序号写下来。

顺序：

_____

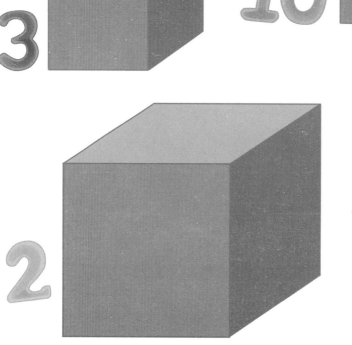

这套教具由 10 块玫瑰色的木质立方体组成。最大的一块边长是 10 厘米，最小的边长为 1 厘米。这个游戏要求根据立方体的大小，按照顺序把这 10 块立方体堆成一座塔，最大的一块在最下面做地基，而最小的在最上面做塔尖。

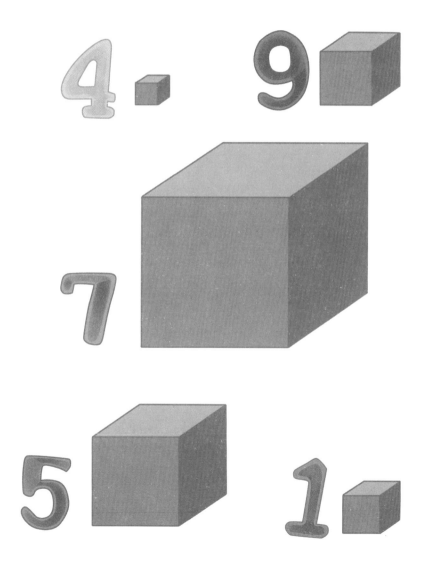

熊猫楼梯 难度 ★★★★☆

游戏方法：如果想将熊猫四棱柱按照从薄到厚的顺序排列在一起，拼成有趣的熊猫楼梯，应该怎么做呢？请把正确排列后熊猫四棱柱旁的数字按顺序写在下面的横线上。注意，四棱柱越厚，上面的熊猫就越大哦！

顺序：

_____

这一套教具由 10 个薄厚不同的四棱柱组成，每个的长度都是 20 厘米。孩子们根据四棱柱不同的厚度，按顺序依次排列，让它们形成一个"楼梯"，越向上四棱柱就变得越厚。如果孩子们在做这个练习时出现错误的话就会非常明显——整个序列就会显得极不规则。

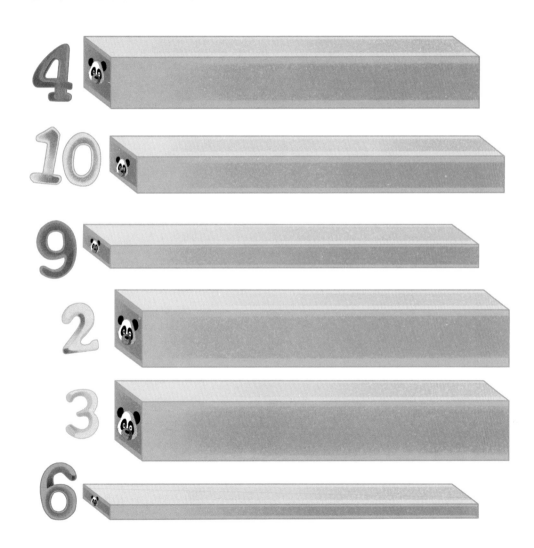

多彩的杯子蛋糕

游戏方法：观察3块杯子蛋糕，找出它们的排列规律，并按照这个规律猜一猜空白处的蛋糕应该是示例蛋糕中的哪一块。

蒙氏智语 想象力和抽象思维能力是大脑的两种重要能力。凭借这两种能力，大脑可以发掘出隐藏于事物表象之下的本质。抽象思维有助于我们把握所接触到的各种各样的事物。我们可以说："抽象思维对大脑的思维有着重大的影响。"

破掉的**格子**衬衫

游戏方法：妈妈在晾衣服的时候，突然发现一件格子衬衫破掉了。请从下面的选项中圈出与所缺部分形状一致的图案。

蒙氏智语 智力的发展需要通过身体活动从外界获得感官上的各种材料，成长中的儿童具有极强的感知外部世界的能力，他们感知的外部世界会越来越丰富。"儿童之家"的老师会给孩子们上一门叫作"物体课"的课程。在这门课程中，儿童要列举某一特定物体的一些特性，如它的颜色、形态、纹理等。

 可爱的猫咪头像 难度 ★★★★☆

游戏方法：这是哪只可爱猫咪的影子？把影子的主人圈出来。

辨别事物的特性是很自然的事。即使没有接受过特殊的教育，人们也能注意到不同颜色和形态之间的差别。这是因为人脑既具有想象力，还能够对思想的内容进行整理和储存，从周围的事物中归纳提炼出规律。一个不能展开想象和逻辑思维的人，是不够聪明的。这种人智力上缺少变化，而且受到某种特定行为方式的局限，这必然会阻碍自身的发展。

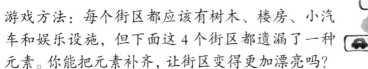 美丽的**街区** 难度 ★★★★★

游戏方法：每个街区都应该有树木、楼房、小汽车和娱乐设施，但下面这 4 个街区都遗漏了一种元素。你能把元素补齐，让街区变得更加漂亮吗？

儿童对秩序的热爱与成人不同——秩序带给成人的是某种外在的快乐，但对儿童而言是一种必需品。儿童从出生开始，就要在自己将来所要支配的环境中找到适应的原则。因为儿童是由他们所处的环境塑造的，引导他们的原则应该是精确的、确定不移的，而不能是含糊的、建议性的。从孩子们做的游戏中我们可以看出，秩序会产生一种自然的快乐——使孩子在安放物品的地方找到它们。

 # 不一样的红色 难度 ★★★★

游戏方法：下面有 8 块色板，上面的颜色都是红色，但深浅度有所不同。给这些红色按照由浅到深的顺序排个序吧！

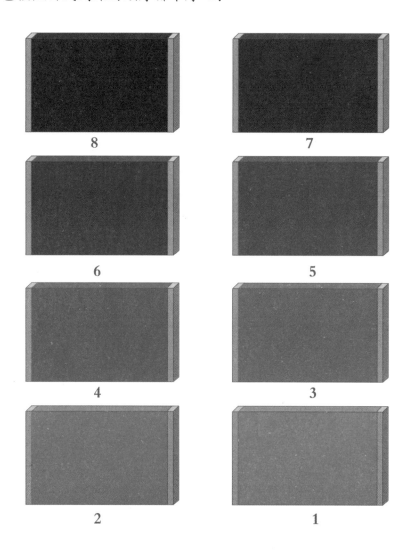

8	7
6	5
4	3
2	1

颜色练习中，我制作了一种包含64种颜色的色板。这64种颜色主要根据8种深浅度不同的颜色变化而来。接下来，我把它们装进八等分的盒子里，每个小盒子里装8块色板。"儿童之家"的老师让孩子们选择一种主色调后，将各种颜色的色板混合在一起，让孩子们找出自己所选颜色的8块色板，并根据由浅到深或由深到浅的顺序排列色板。

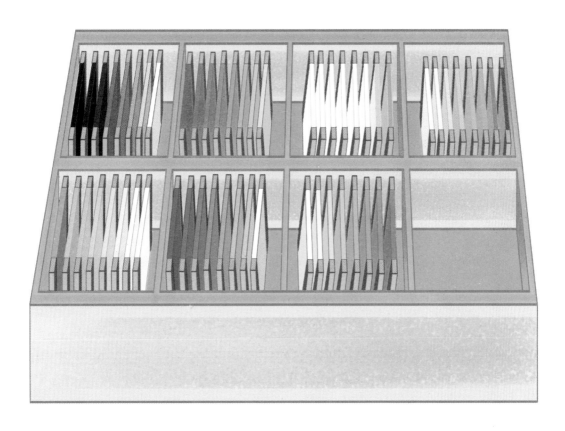

Part2
用耳朵听听
美妙的声音

游戏方法：宝宝伴着妈妈轻声唱出的舒伯特《摇篮曲》入睡吧！

摇 篮 曲

曲 舒伯特

在优美的音乐会上，动人的旋律能让听众动容，让听众的头和手都跟着旋律的节奏动起来。这是人们对音乐产生了心理反应。婴儿无意识的大脑可能也会产生这种反应。而且，与成人对音乐的反应相比，婴儿对语言声音的反应要强烈得多。我们几乎看不到婴儿的舌头、脸颊、发声器官有怎样的活动，而他们的每一个器官都在一种静默中时刻为学习发声做着准备，这会对他们无意识的大脑产生一定的影响。

随音乐"舞动"

游戏方法：妈妈拉着宝宝的小手或小脚，随着口中哼出的音乐舞动，并逐渐让宝宝有意识地随着音乐"舞动"。

蒙氏智语 儿童在做这个游戏时，成人可以播放一些节奏明快的音乐。要知道，音乐不仅能给儿童的活动伴奏，还能激发儿童努力向上的意识。进行游戏时，可以多次重复一首曲子。儿童在感悟乐曲节奏的过程中，逐渐会用手和脚配合音乐进行游戏。儿童通过这个游戏可以让动作更加协调，从而令身体的形态得到提升，变得从容和优雅。

摇出相同的声音

游戏方法：妈妈取 4 个相同大小的空塑料药瓶，在 2 个药瓶里装上红豆，并在瓶身上做好小花标记；在另外 2 个药瓶里装上沙子，并在瓶身上做好太阳标记。接着，让宝宝用手摇这 4 个药瓶，判断哪一对药瓶的声音是相同的。

蒙氏智语 听觉训练是学习语言的入门过程，通过让儿童对不同的声音进行分辨，最终达到让其能够辨别人类声音变化的目的。对于非常小的孩子来说，语言训练占有非常重要的地位。训练的另一个目的是使耳朵对声音保持灵敏度。这种感觉教育具有极高的价值，且必须在安静的状态下进行这种声音区分训练。

动物怎么叫

游戏方法：妈妈指着小动物的图片，让宝宝跟着自己说出动物怎么叫。当宝宝已经熟悉这 4 种动物的叫声后，可以随意学其中一种动物的叫声，让宝宝在图片中指认出来。

小牛小牛哞哞叫，小羊小羊咩咩叫，

小猫小猫喵喵叫，小狗小狗汪汪叫。

幼儿含糊的发音会逐渐变成一门语言。尽管他在最初的时候还不能明确地知道自己说的是什么语言，但这并不妨碍他努力关注周围的人，模仿自己听到的声音。开始时是音节，然后是单词，再逐渐学会说话。在与外界环境接触的过程中，幼儿会积极激发自己的意志，锻炼各种能力。

 趣味**手指舞**

游戏方法：听一听奥地利作曲家小约翰·施特劳斯的《蓝色多瑙河》，用手指在圆点上随着节拍"舞动"吧！

音乐可以唤醒节奏感，使肌肉保持镇静，并起到协调动作的作用。针对不同年龄段的孩子，"儿童之家"的老师会选择不同难度的音乐让孩子们聆听，用以吸引他们的注意力，启发他们的音乐天赋。

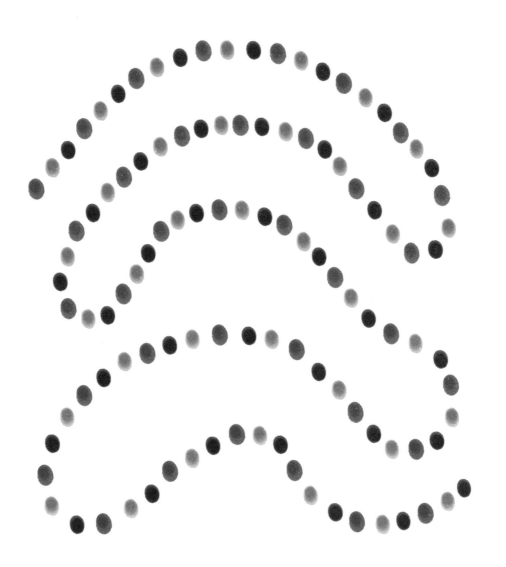

"听" 到的图画 难度 ★★★☆

游戏方法：听着《小星星》优美的旋律，把出现在你脑海里的画面画出来吧！

一闪一闪亮晶晶，满天都是小星星，

挂在天上放光明，好像许多小眼睛。

一闪一闪亮晶晶，满天都是小星星。

蒙氏智语 如果不去欣赏各式各样的景物和声音，那我们复杂的感觉器官还能具有什么功能呢？"看"和"听"这两种活动本身并没有多么重要，却具有更关键的目的——通过看和听去构建与发展一个人。

闭上眼听一听 难度 ★★★★☆

游戏方法：让孩子的身体保持不动，闭上眼睛听一听周围会有一些什么声音。

闭上眼睛时，孩子听到的声音：

☐ 呼吸的声音　　☐ 心跳的声音　　☐ 钟表走动的声音

☐ ＿＿＿＿＿　☐ ＿＿＿＿＿　☐ ＿＿＿＿＿＿

蒙氏智语 在相对安静的环境下，让儿童分辨一些平时不容易被注意到的声音，有助于训练他们静止不动和保持绝对的安静。经过这种训练的儿童，会对声音非常敏感。

 水杯在"唱歌"  难度 ★★★★☆

游戏方法：找7只相同的水杯，倒入水，水量由少到多，注意按照音阶调整好水量。让孩子用筷子轻轻敲击水杯，感受声音的变化，即兴创作乐曲。当孩子熟悉这些声音后，可以先让他闭上眼睛，听大人敲击几个音符，再睁开眼睛敲击出相应的声音。

蒙氏智语 当孩子们及周围环境都安静下来后，"儿童之家"的老师就会借助某种物品发出悦耳的声音，时而平静甜美，时而清纯动听。这种音波的振动会传遍孩子的全身，对孩子非常有好处。

听口令跳格子

游戏方法：用彩色的线围出 15 厘米 ×15 厘米的方格，围成方格的线的颜色不能重复。让孩子听大人的口令跳彩格，如"跳到红色格子里去""经过黄色格子，跳到绿色格子里去"等。

蒙氏智语 在这类练习中，儿童能够获得他们真正可以理解的知识。在学习这些知识的同时，他们也要学会保持程度相当的注意力。实际上，正是因为儿童获得的感觉知识在范围、形状和颜色等方面是精确的，才使人类的精神活动渗透到各个领域，并有了取得更大成就的可能。

乐器大分类

游戏方法：将乐器与它们的声音特点连起来。

嘹亮

低沉

蒙氏智语 我会选择一些能引起共鸣的金属管、能发出声音的小木棒或者各种乐器等作为教具，让孩子用自己所学到的知识和经验来辨别上述物品所发出的声音。当然，还可以用钢琴来进行听音和辨音的练习。通过这些方式，孩子会了解到不同的材质会发出不同的声音。

 指纹**音符**  难度 ★★★★★

游戏方法：用手指画出七彩的音符，并学着认一认它们吧！

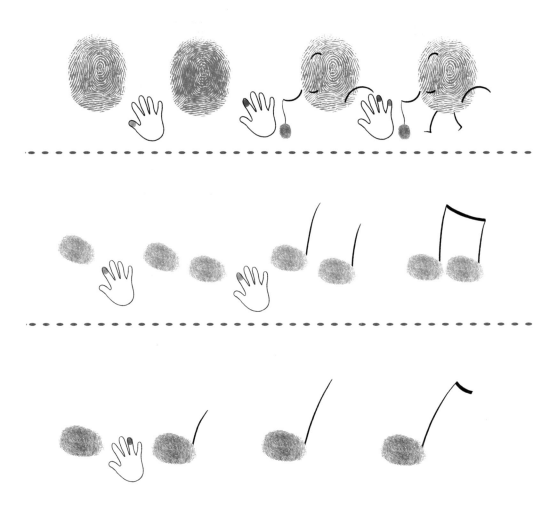

儿童一旦能够进行阅读，就可以把学到的知识运用到识别音符上来。在学习完高音音符学习后，儿童就可以进行低音音符的学习了。

41

Part3
用身体感受
有趣的世界

光滑与粗糙

游戏方法：哪些东西摸上去是光滑的，哪些东西摸上去是粗糙的呢？把表面光滑的东西圈起来吧！

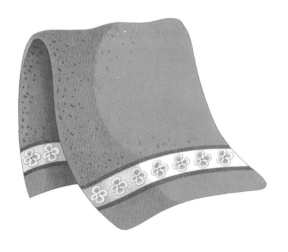

做这种游戏的目的是测试名称和物体是否在孩子们的头脑中保持联系。在孩子接触了相关的物品后，"儿童之家"的老师会在间隔一段时间后，清晰而缓慢地让孩子指认物品是光滑的还是粗糙的，也就是用温习的方式加强他的记忆。孩子们听到后，会用手指着物体说出他们认为哪个是光滑的，哪个是粗糙的。老师就能知道物体和名称是否在孩子大脑中建立起了联系。

网球的 轨迹  难度 ★★☆☆☆

游戏方法：沿着白色的线条，画出网球的轨迹。

> **蒙氏智语** 触觉在指引孩子手的动作，强化孩子的肌肉记忆。这一类型的游戏能够同时强化孩子的3种能力：视觉能力、触觉能力、触觉能力。

美味的汉堡

游戏方法：写出制作汉堡的正确顺序，并按照这个顺序用美味的食材做出一个真的汉堡来吧！

顺序：_____

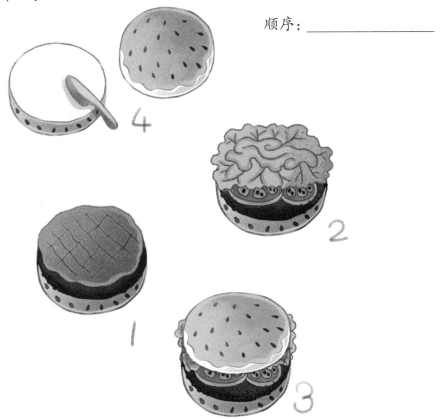

蒙氏智语 手的运动是智力的外在表现。人的手是如此精巧、复杂，它不仅能展示人类的心灵，而且能使人与环境建立起特殊的关系。我们也许可以说"人类靠手征服了环境。"人类的手在智慧的指引下改变了环境，进而完成了对整个世界的改造。

3步动物画 难度 ★★★☆☆

游戏方法：按照下列步骤，在右边框内画出可爱的动物吧！

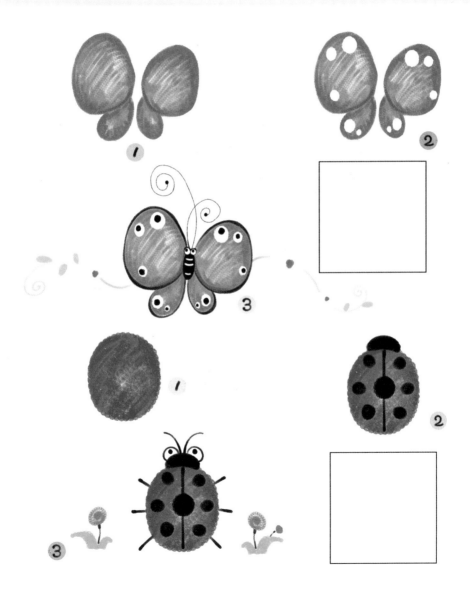

 # 手拉手好朋友 难度 ★★★☆☆

游戏方法：沿边框剪下 51 页的长方形，将长方形按虚线折叠，并剪下小朋友手拉手的拉花，再给每个小朋友画上眼睛、鼻子和嘴巴，以及好看的衣服。最后，将这些小男孩和小女孩贴到 53 页吧！

儿童的小手充满了灵性和智慧，然而成人总是担心那些小手握住的是一些毫无意义的东西，还想尽办法把这些东西藏起来，避免儿童拿到。"不要碰"也像"别动""安静"一样，成为成人口中反复出现的命令。

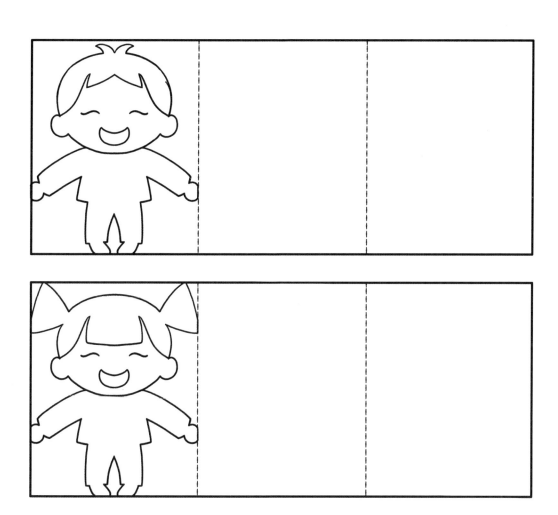

 趣味恐龙 画

游戏方法：按照 54 页的步骤，在 55 页画出有趣的恐龙吧！

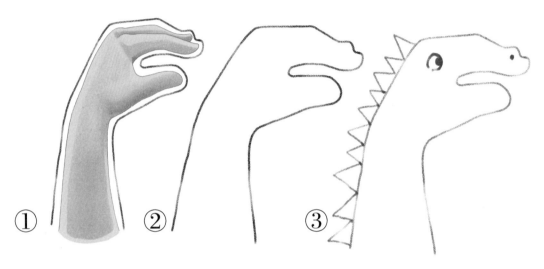

①   ②   ③

④   ⑤

蒙氏智语 在儿童需要慢慢学会的各种活动能力中，手的使用是最奇妙的，它充满了神圣感，令人惊叹。而我们也应该充满热情地期待着儿童伸出自己的小手，去触碰周围的世界。

夏天的池塘  难度 ★★★★☆

游戏方法：照着图例叠出一只小青蛙，把它贴到池塘的莲叶上吧！

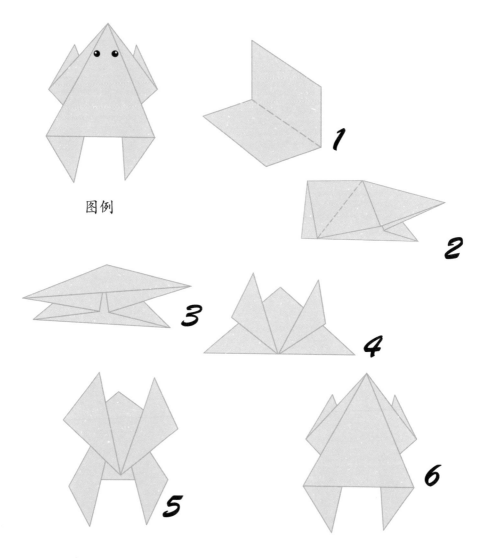

图例

儿童的运动不是偶然发生的。他们在自我的指导下，对身体的运动进行了必不可少的协调工作。他们在多次的协调工作中积累经验，不断发展自己的心智，使其发展得更为完善。因此，我们应该让儿童根据自己的想法自主地去做事。

 小手变动物  难度 ★★★★

游戏方法：照着图例在墙壁上"变"出动物来吧！

儿童需要在环境中寻找各种可以用来看或听的东西。这些东西能帮助儿童发展自己的心智。因为儿童只有运用自己的双手去运动，才能获得自身的发展。而那些用来看或听的东西就是让他们运动的东西，它们能带给儿童活动的对象和活动的机会。

荒岛求生 难度 ★★★★★

游戏方法：你能帮助海难幸存者求救吗？把63页漂在海中的红酒瓶剪下来，在沙滩上拼出一个"SOS"的求救信号吧！

当儿童学习用自己的小手活动时，也需要相应的物品来呼应配合，这些东西对他们的活动具有刺激作用。儿童在完成一项活动时，常常要付出超出我们想象的努力。

奇妙的大自然 难度 ★★★★★

游戏方法: 将67页的小动物剪下来, 把它们贴到66页或69页适当的位置吧!

有时候，很小的孩子也能在实际的活动中掌握工作的技能，并培养起准确行动的能力，这确实让我们大为惊叹。儿童在运动的过程中进行着自我塑造，他们的运动是有原因、有目的的。即便是那些看似任性的乱跑、乱跳、乱拿东西等行为，那些能把屋子弄得乱七八糟的举动，都不是毫无目的的。

Part4
用鼻子和嘴巴感受
不一样的味道

不一样的味 难度 ★★☆☆☆

游戏方法：将牛奶、酸奶和米汤分别倒入 3 个小碗中，分别用不同的筷子蘸着这 3 种液体让孩子尝，告诉孩子尝的是什么。让孩子闭上眼睛，再分别尝这 3 种液体，感受它们的味道。

蒙氏智语 味觉训练最好在午餐时间进行，因为在这个时候，孩子能够学会辨别许多气味。

鲜花的气味

游戏方法：带孩子到郊外或植物园，找到两种气味差异较大的鲜花，分别让孩子闻，并告诉他花的名字。让孩子闭上眼睛，去闻其中一种花，然后说出花的名字。

蒙氏智语 在"儿童之家"，我们让孩子闻鲜花的味道，比如紫罗兰和茉莉花等。然后，用一块布蒙上孩子的眼睛，告诉孩子："现在，我们要给你一些鲜花。"这时，一位小朋友把一束紫罗兰伸到他的鼻子下面，让他猜是什么花。为了区分香气的浓郁程度，我们这样做的时候，只用比较少的花，有时甚至仅用一朵花。

可以**吃**的东西

Part4 用鼻子和嘴巴感受不一样的味道

难度 ★★☆☆☆

游戏方法：把图中可以吃到肚子里的东西圈出来吧！

74

世界上不同地方的人有不同的饮食习惯。我们现在知道什么东西是好吃的和可以吃的，那是因为过去的人在饥饿的情况下，探究了每种动物和植物，考察它们是否能帮助人类提供能量，延续生命。我们是无数人的继承者，这真是令人感动。那些人经由愉快的或是非常恐怖的经验，为我们找到了安全的食物。

嘴巴里的凉与热 难度 ★★★☆☆

游戏方法：准备一碗 20℃左右的米饭，再准备一碗 40℃左右的米饭。先将20℃左右的米饭送到孩子嘴里，再将 40℃左右的米饭送到他嘴里，让他体验温度有什么变化。

蒙氏智语 孩子的主要活动都可以通过感官练习得到激发和加强。我们可以让孩子的感官跟刺激物进行适当分离，从而让他们的意识获得清晰的知觉；我们可以让他们敏锐地感觉到冷与热、粗糙与光滑、重与轻的差异；我们可以让他们在安静的环境中闭上双眼，等待轻微的声音对他们发出召唤……

干净的味道

游戏方法：先让孩子看看干净衣服上面没有污渍，很漂亮；脏衣服上面可能有很多污渍，如泥点、食物的汤汁等，很不好看。接着，让孩子闻一闻清洗干净的衣服，再让他闻一闻有汗臭味的衣服。让孩子闭上眼睛，分别闻干净衣服和脏衣服，挑出干净的衣服来。

蒙氏智语 一个家要有吸引力，首先要做到干净、整洁，房间里的物品要摆放得整齐、合理。学校的环境也应如此，教室里的物品要保持干净、整洁，所有东西都要安放在适当的位置上，以备孩子们随时取用。与此同时，老师自己也要保持干净、整洁。

清水是哪杯

难度 ★★★☆☆

游戏方法：准备 4 只空杯子，分别倒入清水、雪碧、白醋、白酒，让孩子闭上眼睛闻闻它们散发的气味，找出哪杯是清水。

蒙氏智语 训练儿童的味觉和嗅觉，可以借助不同味道的溶液，比如酸、甜、辣等味道浓烈的溶液。儿童很愿意参与这样的游戏，因为在游戏中他们能够识别各种味道。注意，如果他们的舌头接触了这些液体，一定要在游戏后让他们用一杯温水仔细漱口。从这个角度而言，这个游戏既是对味觉、嗅觉的训练，也是讲卫生的训练。

酸酸甜甜的味道

难度 ★★★☆☆

游戏方法：圈出吃起来酸酸甜甜的食物。

蒙氏智语 "儿童之家"的饮食安排还和生活实践训练联系到一起，老师会给孩子们提供一些具有重要教育意义的练习，例如让儿童记住一些食物的名称等。在训练过程中，老师会引导儿童将食物的名称与食物本身进行结合，并将他们在品尝食物时的感觉与食物本身进行巧妙对应。

 嘴巴大侦探 难度 ★★★★☆

游戏方法：圈出图中咬上去硬硬的食物。

对刺激物进行抓、舔等方式练习，会给孩子带来很大的乐趣。任何小物品，如玩具士兵、小球等，他们都会进行这样的尝试。渐渐地，他们不用眼睛就可以"看"。孩子们对此会感到非常骄傲，甚至会高兴地拍着手喊道："你们快看，嘴巴是我的眼睛！""我可以用手来'看'周围的事物！"

气味记忆大考验 难度 ★★★★☆

游戏方法：看到图片里的物品，想一想它们的味道，圈出每组中气味与众不同的物品。

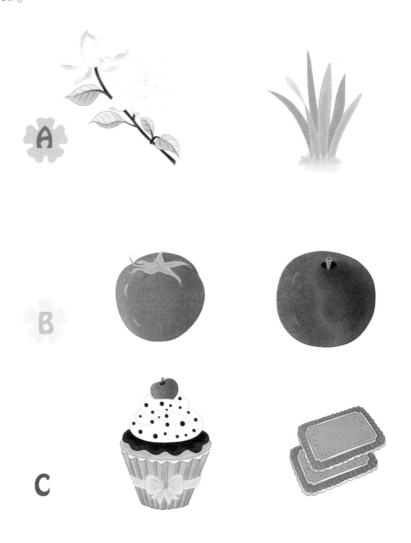

儿童在敏感期拥有一种特殊的内在活力，能够以惊人的方式自然而然地吸收和学习。一种热情耗尽之后，另一种热情随之燃起。在这种节奏的支配下，儿童不断探索、征服世界，不断尝试新鲜的东西，这会使他们感到十分幸福、满足。

酸甜苦辣连连看

游戏方法：下列食物或调料的味道是怎样的呢？把它们跟对应的味道（酸、甜、苦、辣）连上线吧！

酸

甜

儿童特别喜欢把刺激与名称联系起来，成人可以利用这一特点引导孩子了解每种物品的特征。在孩子从感觉转移到观念——从具体到抽象——的过程中，成人要想办法使儿童的注意力独立起来，并把这种注意力集中在感知上。

苦

辣

85